inklusive
Audio-Download

Andrea Holzer-Rhomberg, geboren in Baden bei Zürich und wohnhaft in Vorarlberg (Österreich), absolvierte ihre Studien am Mozarteum in Salzburg und an der Musikhochschule Wien. Es folgte eine rege Konzerttätigkeit als Mitglied diverser Kammerorchester im In- und Ausland. Seit 1988 führt sie eine Klasse für Violine und Viola an der Städtischen Musikschule Feldkirch. Zusätzlich betreut sie als Mentorin Violin- und Viola-pädagogik-Studenten am Landeskonservatorium in Feldkirch. In ihrer pädagogischen Arbeit verpflichtet sie sich nachhaltig den Grundsätzen der Ganzheitlichkeit und Anschaulichkeit. Im Rahmen des Streicher-Gruppenunterrichtes verbindet sie das frühinstrumentale Lernen mit einer elementaren Orchestererziehung.

Impressum


VHR 3873 / ISMN 979-0-2013-1011-4 / ISBN 978-3-86434-109-0

Umschlaggestaltung & Layout: Gerhard Illig Kommunikation, Schwaig

Satz: Regina Krauß, Speyer

www.holzschuh-verlag.de
www.fiedel-max.de

# Vorwort

Der vorliegende Band 6 der Violinschule Fiedel-Max baut auf die vorangegangenen Bände des gleichnamigen Schulwerkes auf. Er widmet sich sowohl der Weiterentwicklung der Spieltechnik als auch der musikalischen Gestaltung.

Was ist Phrasierung? Wie erzeugt man Spannung? Was ist ein langer, was ein kurzer Vorschlag? Wie spiele ich einen vierstimmigen Akkord? Wie kann ich mein Vibrato variieren? Diesen Fragen wird hier auf den Grund gegangen.

„Spritzige" Stricharten wie Spiccato, Sautillé und Ricochet können an schwungvollen kleinen Charakterstücken geübt werden, Verzierungen wie Triller, Vorschläge, Doppelschläge u. a. schmücken in unzähligen Varianten die Melodielinien der Musik aus den verschiedenen Stilepochen aus. Eine Vielfalt an Musikstücken von vergangenen Jahrhunderten bis hin zur zeitgenössischen Musik soll die jungen Geigerinnen und Geiger anregen, ein Stilgefühl zu entwickeln, ihr musikalisches Verständnis zu vertiefen und ihren eigenen musikalischen Ausdruck zu verfeinern.

Zur Unterstützung beim Üben stehen Hörbeispiele und Playalongs bereit, die mit größter Sorgfalt aus der Sound-Bibliothek des Sibelius-Programms erstellt wurden. Die Audiodateien können mit dem Download-Code heruntergeladen werden.

Um zu einer stimmigen musikalischen Gestaltung zu finden, sei es allen jungen Musikerinnen und Musikern empfohlen, sich – wenn möglich – mehrere verschiedene Einspielungen der bekannten Musikstücke aus diesem Band (z. B. auf YouTube) anzuhören, zu vergleichen und anschließend einen eigenen Interpretationsansatz zu entwickeln.

Für das gemeinsame Musizieren mit einem „lebendigen" Klavierbegleiter ist selbstverständlich wieder eine Ausgabe mit sämtlichen Klavierbegleitungen erhältlich.

Nun wünsche ich den jungen Geigerinnen und Geigern viel Freude beim Musizieren.

Andrea Holzer-Rhomberg

Die Audiodateien können unter

**download.holzschuh-verlag.de**

nach Eingabe des Download-Codes
kostenlos heruntergeladen werden.

Download-Code: NLWW-KTT5

# Inhalt

# (1) Sautillé

*Sautillé wird auch „Springbogenstrich" genannt. Im Gegensatz zum Spiccato, bei dem jeder Ton einen eigenen „Hüpfimpuls" erhält, springt beim Sautillé der Bogen aufgrund seiner Elastizität von selbst.*

Halte den Bogen erst nur mit Daumen, Zeigefinger und Mittelfinger. „Tauche" den Bogen mit dem Zeigefinger ganz leicht in die Saite ein und führe in der Bogenmitte kleine, schnelle Detaché-Striche aus. Lass den Bogen jetzt in Richtung Schwerpunkt wandern, bis er von selber anfängt zu springen. Setze nun die anderen Finger wieder ganz leicht an ihren Platz auf der Bogenstange zurück.

Spiele die B-Dur-Tonleiter und anschließend den „Kreisel" im Sautillé:

## Der Kreisel

01

*A. Holzer-Rhomberg*

## ALLEGRO VIVO

MP3 02 | 03

*A. Holzer-Rhomberg*

## PERPETUUM MOBILE

op. 380 Nr. 6

MP3 04 | 05

*Carl Bohm*
*(1844–1920)*

cresc.
f
f
p
f
cresc.
ff
mf
mf
cresc.
f
ff
ffz
ffz
ff

# (2) Verfeinerung des Vibratos

Übe die folgenden Zeilen regelmäßig, um ein gleichmäßig schwingendes Vibrato zu entwickeln. Beginne mit dem 3. Finger in der 3. Lage. Spiele die „große“ Note jeweils mit einem kleinen Druckimpuls, vergleichbar einem „Klopfen“ auf die Saite mit „angeklebtem“ Finger. Die „kleine“ Note zeigt die Schwingung nach unten an. Die Tonhöhe dieser kleinen Note ist nicht genau festgelegt. Sie hängt davon ab, wie breit (große Schwingung) oder wie eng (kleine Schwingung) du vibrieren willst.

Beginne deine Vibrato-Übungen – nach dem Grundsatz „von Groß nach Klein“ – mit großen Schwingungen. Wenn du die großen Schwingungen gut beherrschst, wiederhole die Übung mit kleineren Schwingungen.

Jetzt sind die anderen Finger dran ...

Führe dieses Vibrato-Trainig jetzt auch in den anderen Lagen und auf jeder Saite aus. Hier z. B. in der 1. Lage:

Spiele die folgende Tonleiter mit großem, gleichmäßigem Vibrato:

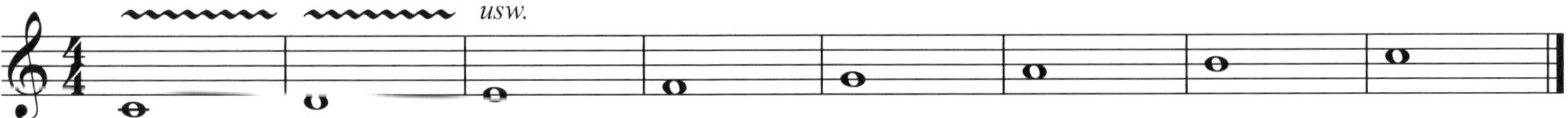

Variiere nun das Tempo deines Vibratos:

Spiele die gleiche Tonleiter
a) mit sehr langsamen großen Schwingungen,
b) mit schnelleren großen Schwingungen und
c) mit sehr schnellen großen Schwingungen.

Variiere nun die Schwingungsgröße deines Vibratos:

Spiele die Tonleiter
a) mit sehr großen Schwingungen,
b) mit kleineren Schwingungen und
c) mit sehr kleinen Schwingungen.

Nun kannst du alle möglichen Schwingungstempi mit allen möglichen Schwingungsgrößen kombinieren, je nachdem, wie es der musikalische Ausdruck der betreffenden Stelle im Musikstück verlangt.

## Die Raupe

Verbinde jeweils vier Noten mit einem kontinuierlich durchgehenden Vibrato. Spiele „Die Raupe" auch in anderen Lagen und Tonarten.

## Die Riesenraupe

Stoppe dein Vibrato auch vor und nach den Lagenwechseln nicht!

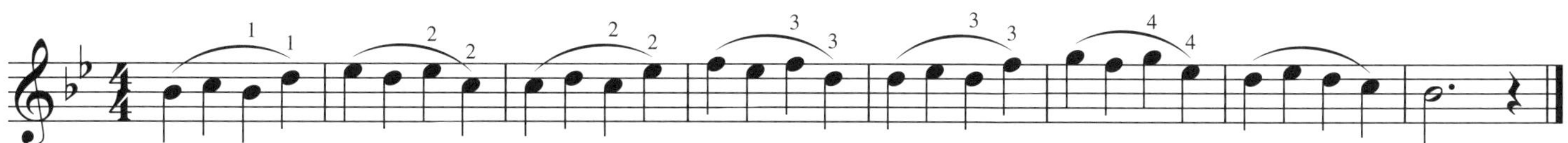

Die Art des Vibratos (schnellere oder langsamere Schwingung, größere oder kleinere Amplitude ...) richtet sich nach dem Charakter des Musikstückes. Welches Vibrato würdest du z. B. für das Wiegenlied von Brahms wählen?

MP3 06 | 07

# Wiegenlied

*Johannes Brahms*
*(1833–1897)*

Fantasia für Solo-Violine
MP3 08
(Vibrato-Studie)
A. Holzer-Rhomberg
pizz.
An den Ufern der Wolga
MP3 09 | 10
A. Holzer-Rhomberg
Moderato

più mosso
rit.
Tempo I
accel.
a tempo

# Moderato con moto

11

17

21

25
3
2
4

30
1

# (3) Verzierungen

## 1) Der lange Vorschlag

*Er erhält grundsätzlich die Hälfte des Notenwertes der Hauptnote, bei punktierten Noten zwei Drittel des Notenwertes der Hauptnote.*

## 2) Der kurze Vorschlag

*= kurzer Vorschlag. Die Ausführung ist unterschiedlich: Die Vorschlagsnote kommt kurz vor oder auf die Zählzeit der Hauptnote. Sein Kennzeichen ist ein Strich durch Hals und Fähnchen.*

MP3 12

## Moderato

*Jacques Féréol Mazas (1782–1849)*

12
langer Vorschlag
17
22
kurzer Vorschlag
27
langer Vorschlag
32
kurzer Vorschlag
37

## 3) Der Doppelschlag

*~ = Doppelschlag: Bei dieser Verzierung wird die Hauptnote durch die obere und untere Nebennote umspielt. Die Ausführung hängt unter anderem von Parametern wie z. B. dem Tempo, der Taktart oder dem Stil des jeweiligen Musikstückes ab. Es gibt mehrere Ausführungsmöglichkeiten für einen Doppelschlag. Hier ein paar Beispiele:*

**Doppelschlag auf einer Note:**

Ausführung: Man beginnt entweder von der oberen Nebenote (a) oder von der Hauptnote (b) und spielt in diesem Fall den Doppelschlag als Quintole.

**Doppelschlag zwischen zwei Noten:**

Ausführung: Beispiel (c).
Bei punktierten Noten wird der Doppelschlag oft auch triolisch ausgeführt (d).

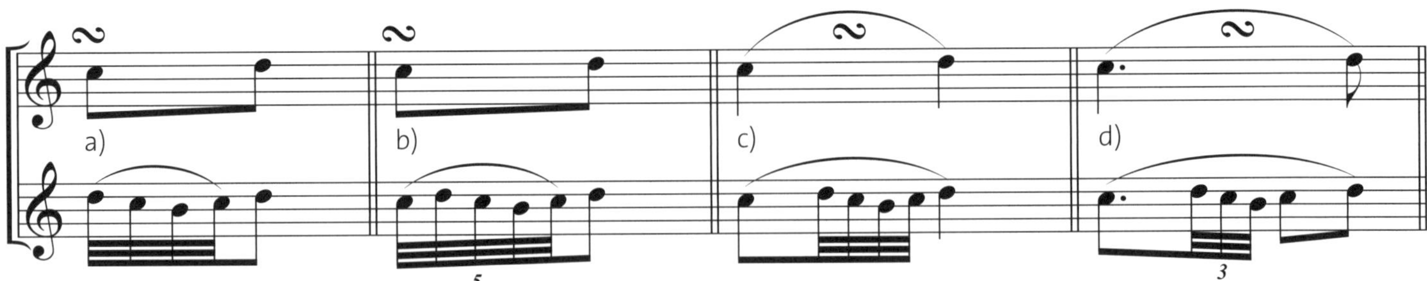


Beispiel (e) zeigt einen Doppelschlag in einem Stück mit sehr langsamem Tempo.

Chromatische Veränderungen werden ober- bzw. unterhalb des Zeichens notiert, siehe Beispiele (f) und (g):

## Petite Romance

MP3 13|14

A. Holzer-Rhomberg

# Poco Adagio

MP3 15

Thema des 2. Satzes aus dem bekannten „Kaiserquartett", op. 76 Nr. 3 komponiert im Jahr 1797.

*Joseph Haydn*
*(1732–1809)*

## 4) Der Triller

*tr = Triller: mehrmaliger schneller Wechsel zwischen der Hauptnote (notierte Note) und der oberen Nebennote. Das kann ein Ganzton (Bsp. a) oder ein Halbton (Bsp. b) sein.*

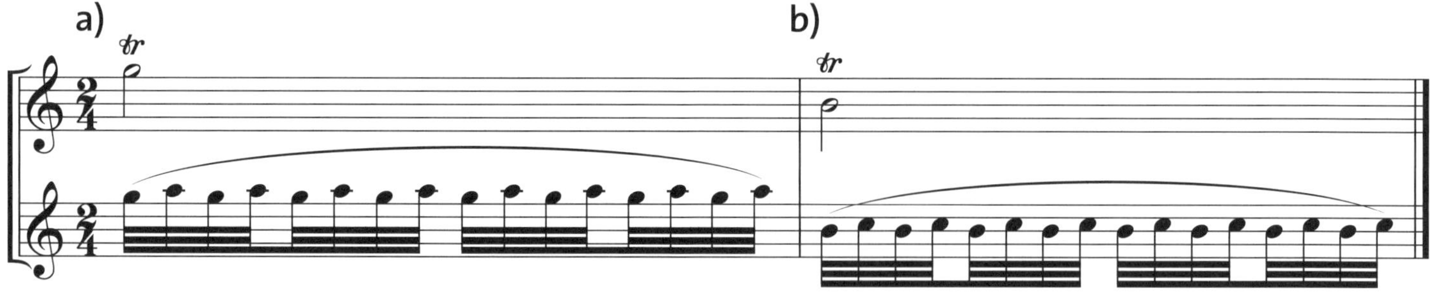


Bis zum Beginn des 19. Jahrhunderts begann man den Triller mit der oberen Nebennote (Bsp. c). Später musste man einen kurzen Vorschlag notieren, um den Triller von oben beginnen zu lassen (Bsp. d).

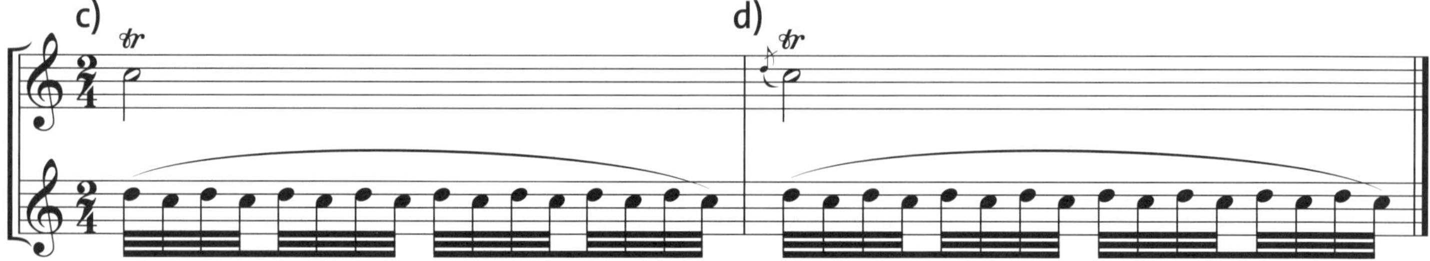


Chromatische Veränderungen (♯, ♭) notiert man über dem Trillerzeichen (Bsp. e).

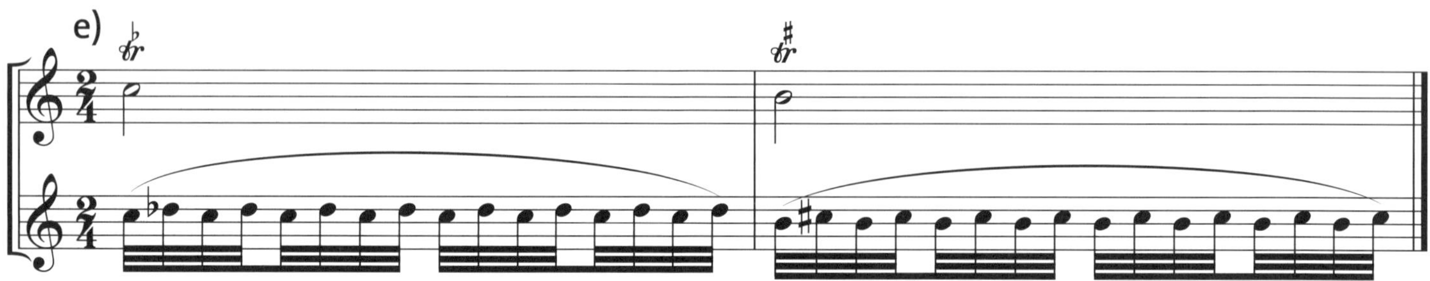


Hier Beispiele für einen Triller mit Nachschlag:

Übung für einen gleichmäßigen Triller:

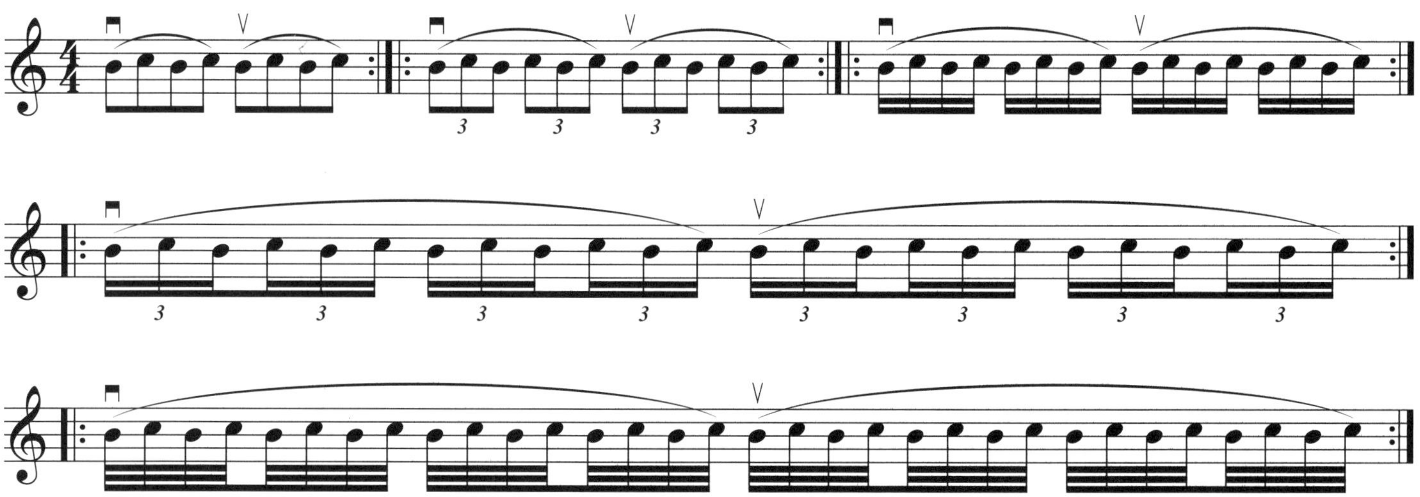

## 5) Der Pralltriller

*= Pralltriller: einmaliger schneller Wechsel der Hauptnote mit der oberen Nebennote*

## 6) Der Mordent

*= Mordent: einmaliger schneller Wechsel der Hauptnote mit der unteren Nebennote*

# Gavotte

MP3 16|17

*aus: Premier Concert Royal*

François Couperin
(1668–1733)

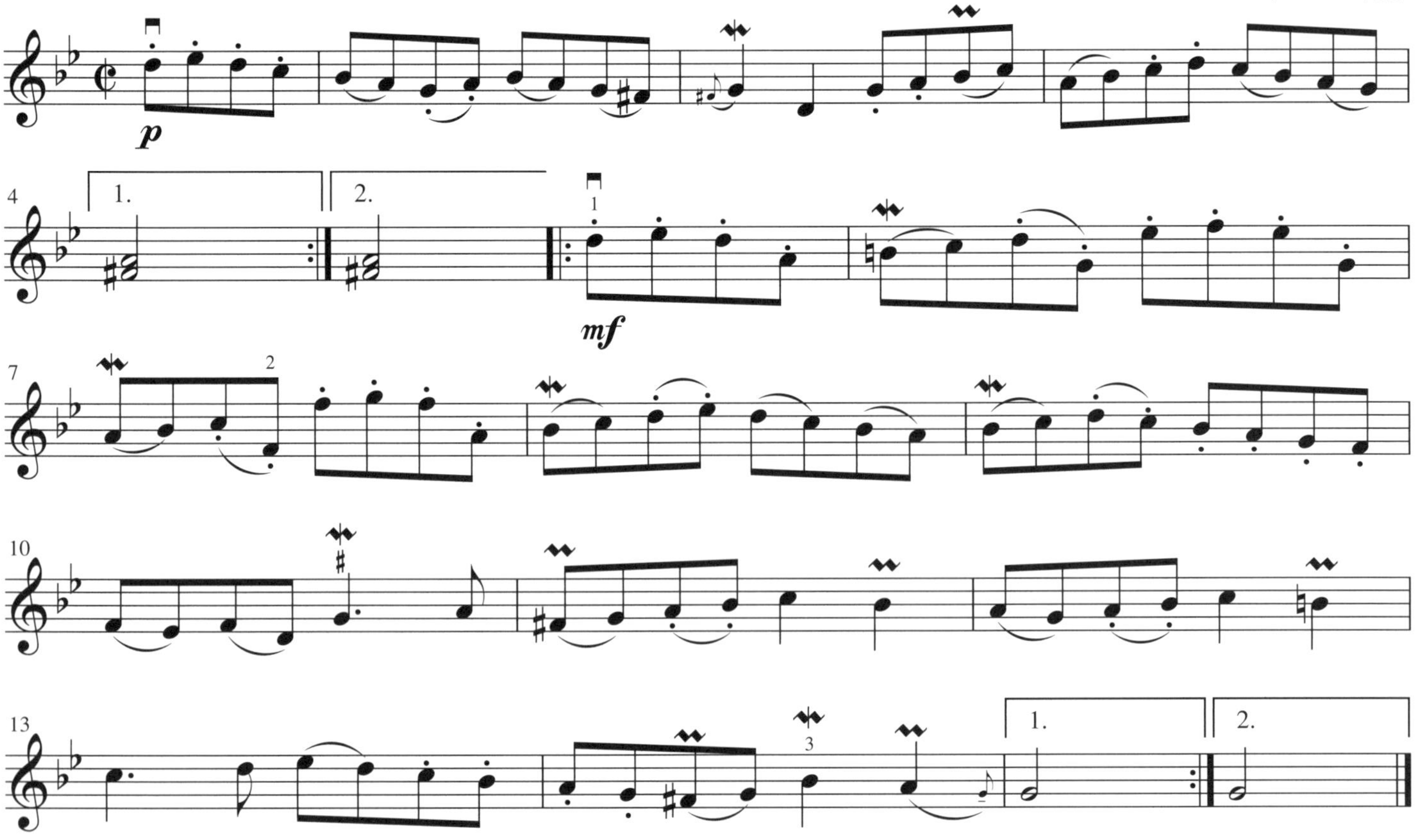

# Preludio

MP3 18|19

*aus: Sonata G-Dur, op. 2 Nr. 8*

Antonio Vivaldi
(1678–1741)

**Largo**

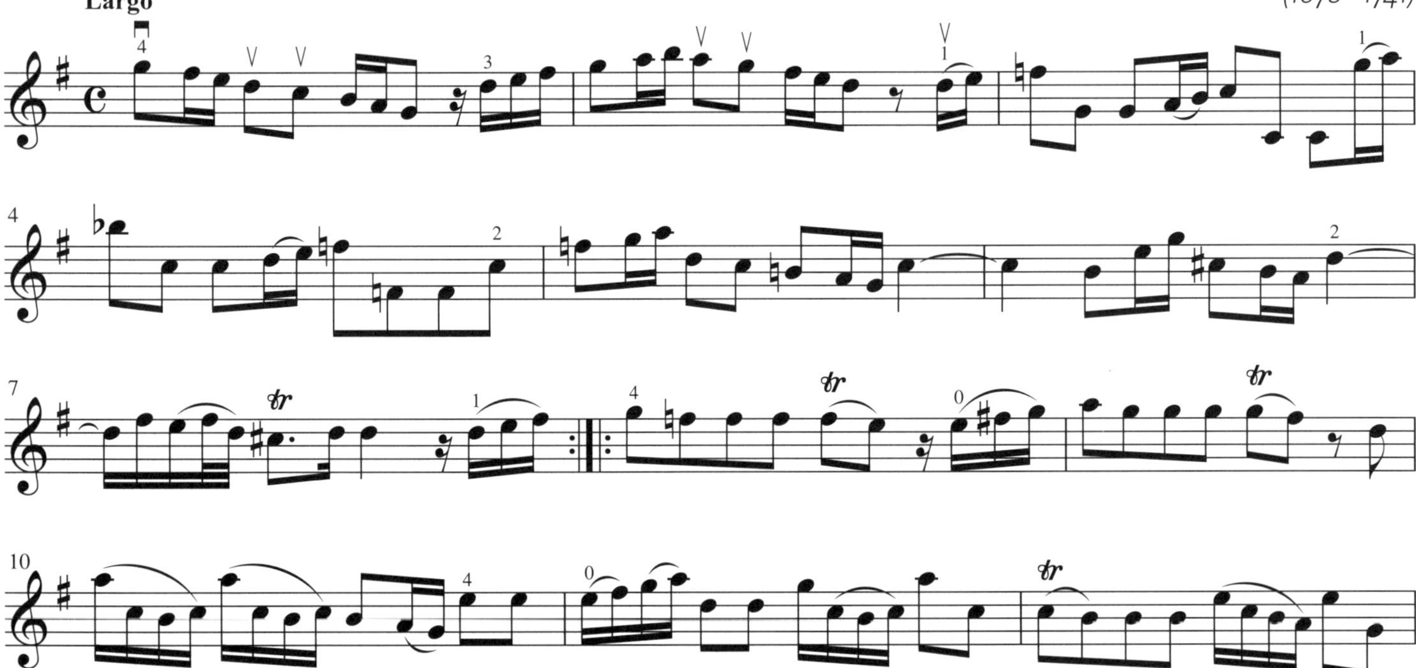

## Sarabande

*aus: Sonata D-Dur, op. 1 Nr. 10*

MP3 20 | 21

Jean-Marie Leclair
(1697–1764)

Largo

# Toccata

MP3 22 | 23

A. Holzer-Rhomberg

## Scherzando in G

MP3 24 | 25

A. Holzer-Rhomberg

# (4) Phrasierung

griechisch „phrasis“ = das Sprechen, der Ausdruck

Phrasierung ist das Hörbarmachen eines musikalischen Bogens. „Phrasen“ in der Musik sind Melodieteile, die zusammen eine Melodie ergeben. Mit diesen Melodieteilen ist es wie beim Sprechen eines Satzes: Die Stimme hebt sich zum Höhepunkt des Satzes hin und wird zum Ende hin (Punkt) wieder gesenkt.

Wie beim Sprechen werden auch beim Musizieren an bestimmten Stellen Atempausen gemacht. So entstehen Spannungsbögen, welche die Melodiefolgen in einen sinnvollen Zusammenhang bringen. Das verleiht der Musik Lebendigkeit und Ausdruck. Es entsteht eine „Klangrede“.

**Diese Fragen helfen dir beim Verstehen und Gestalten der folgenden Musikstücke:**

Wo ist der Höhepunkt der Melodielinie? Wo ist Spannung, wo Entspannung?
Wo ein „Komma (Beistrich)“, wo ein „Punkt“? Welche Töne sollen mehr betont werden als die anderen?

## aus: Petite étude mélodique

*Charles Dancla*
*(1817–1907)*

*) Hier findet **kein** Lagenwechsel statt. Hier wird nur der 1. Finger einen Halbton nach unten gestreckt, die Hand bleibt in der 3. Lage.

*, = Atemzeichen*

## Allegro con grazia

*aus: L’art de phraser*

*Leo Portnoff*
*(1875–1940)*

## Sarabanda

MP3 26 | 27

Giuseppe Tartini
(1692–1770)

## Walzer

MP3 28 | 29

aus: Die lustige Witwe

Franz Lehár
(1870–1948)

# Russische Fantasie Nr. 1

MP3 30 | 31

Leo Portnoff
(1875–1940)

Largemento
dolce espr.
rit.
marcato

## In der Art eines Walzers

MP3 32 | 33

*aus: 30 Kinderstücke für Klavier, Nr. 1*

Dmitri Kabalewski
(1904–1987)

Allegretto cantabile
p
mf
poco rit.
a tempo
mp



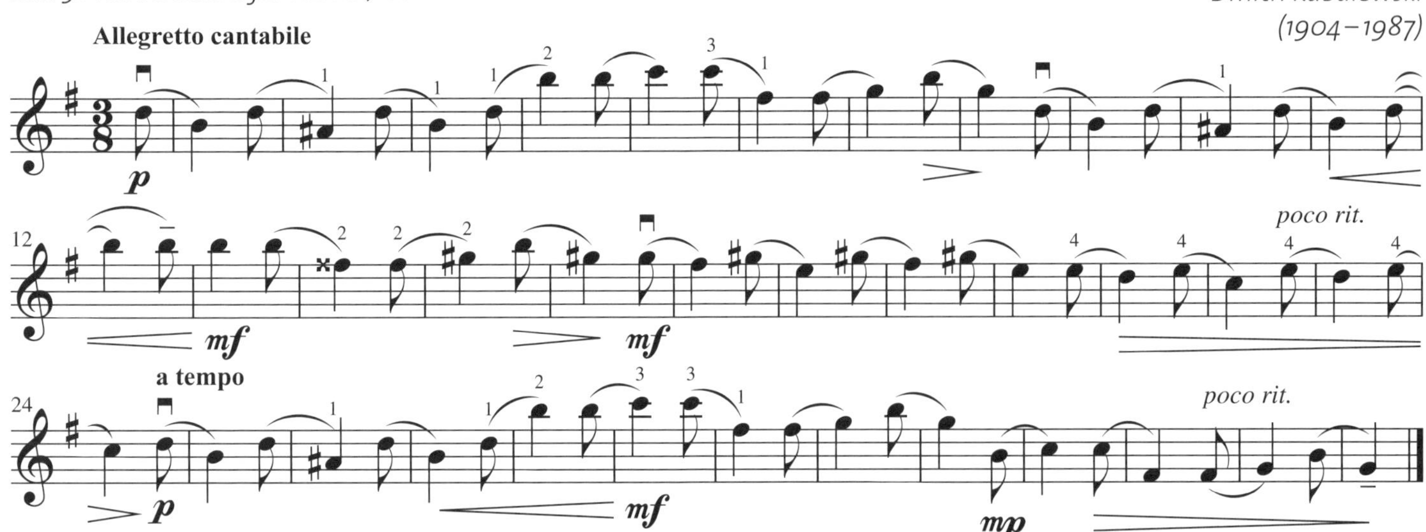

## Tanz

MP3 34 | 35

*aus: Der helle Bach. Ballet in 3 Akten*

Dmitri Schostakowitsch
(1906–1975)

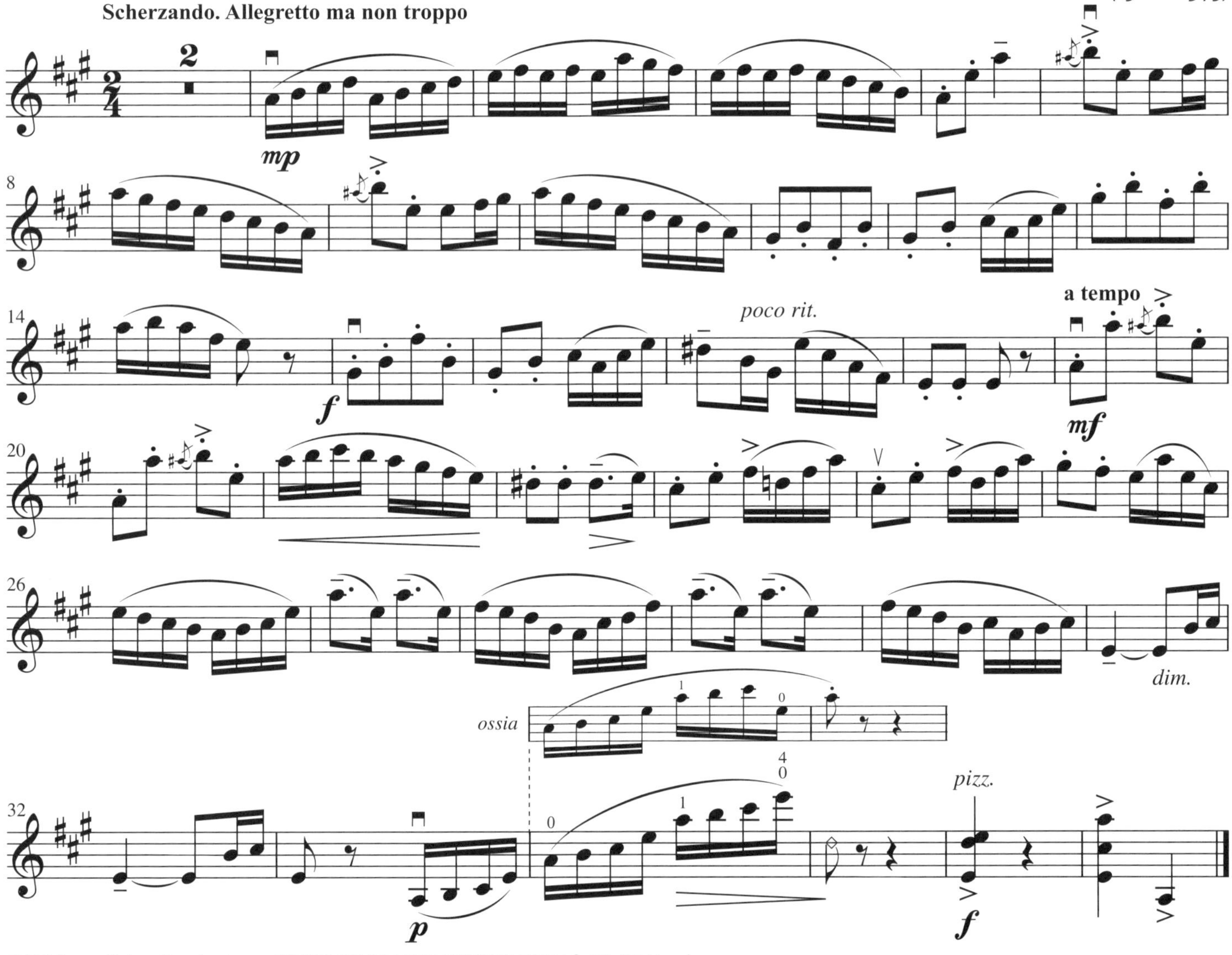

Scherzando. Allegretto ma non troppo
mp
f
poco rit.
a tempo
mf
dim.
ossia
pizz.

# ROMANCE

MP3 36 | 37

Charles Dancla
(1817–1907)

# (5) Doppelgriff-Vorübungen

Während bei Tonleitern und Melodien hauptsächlich die „pythagoreische Stimmung" zur Anwendung kommt, bei der die Intervalle von den reinen Quinten hergeleitet werden, müssen wir uns bei Doppelgriffen und Akkorden auf die sogenannte „reine Stimmung" einhören. Bei den folgenden Doppelklängen ist jeweils nur ein Ton zu greifen, der zweite Ton ist eine leere Saite.

**Beachte:** Das fis (2. Finger „hoch") muss im Zusammenklang minimal tiefer gegriffen werden als in einer einstimmigen Melodie, und das f (2. Finger „tief") muss minimal höher gegriffen werden als in einer einstimmigen Melodie, um wirklich eine „reine" Terz zu erhalten.

## Vorübung 1

**Beachte:** Das h (1. Finger „hoch") muss im Zusammenklang minimal tiefer gegriffen werden als in einer einstimmigen Melodie, und das b (1. Finger „tief") muss minimal höher gegriffen werden als in einer einstimmigen Melodie, um wirklich eine „reine" Sexte zu erhalten.

## Vorübung 2

Führe diese Vorübungen sorgfältig auf allen Saitenpaaren aus und hör gut zu, ob die Intervalle auch wirklich rein klingen.

## Gnomenmarsch

MP3 38 | 39

*A. Holzer-Rhomberg*

Menuettino
MP3 40 | 41
A. Holzer-Rhomberg
Doppelgriff-Vorübungen mit Lagenwechsel
Im Walzertakt
MP3 42 | 43
A. Holzer-Rhomberg

# Bärentanz

MP3 44 | 45

W. Lautenschläger
(1880–1949)

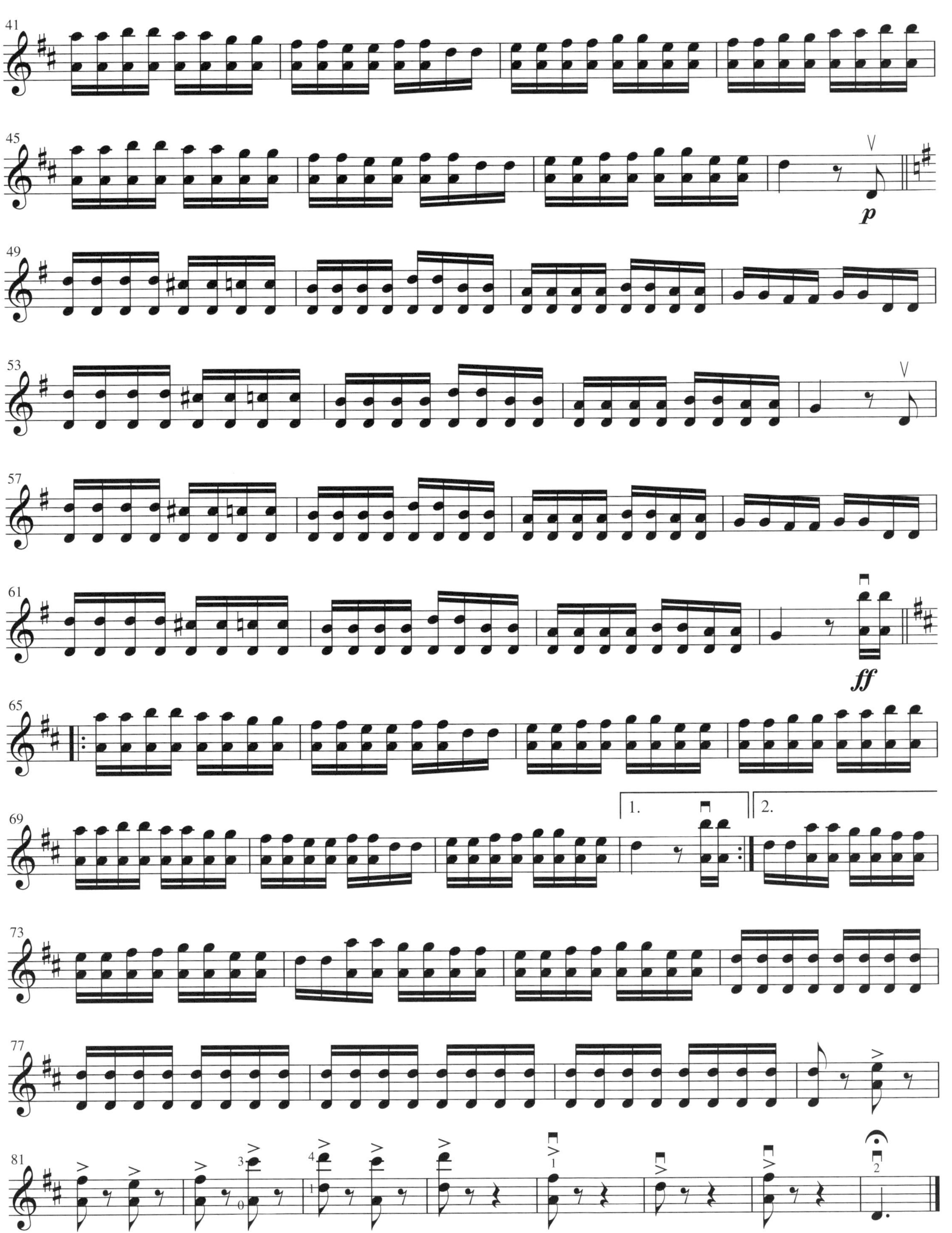
41
45
p
49
53
57
61
ff
65
69
1.
2.
73
77
81

## Scherzando in D

MP3 46 | 47

A. Holzer-Rhomberg

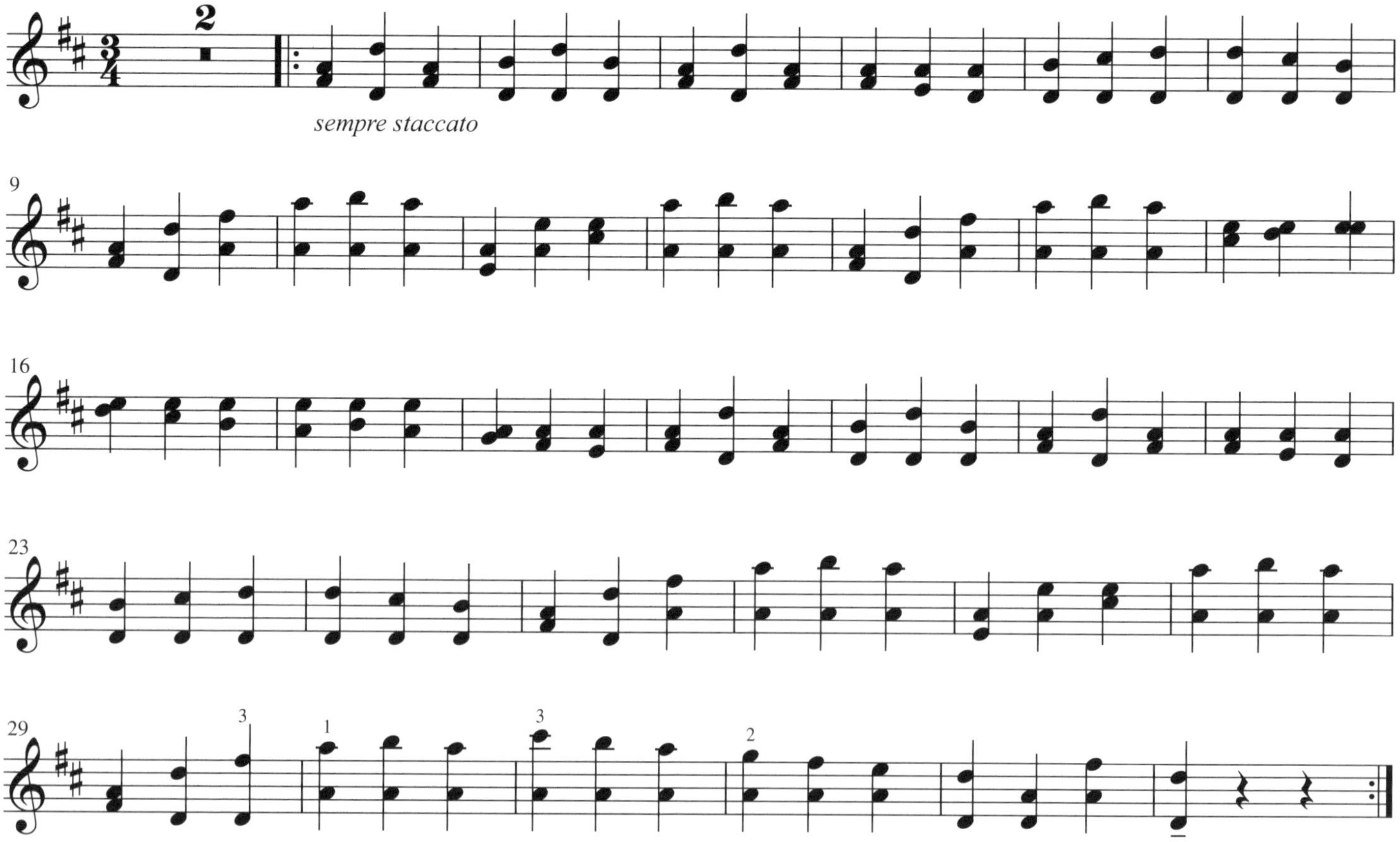

*sempre staccato*



## Cakewalk

*aus: Blue. Jazz-Sonatine*

MP3 48 | 49

*Norbert Laufer (*1960)*

dolce
mp
p
mp
p
mf
f
mf
f
mf
f
più f
pizz.

MP3 50

# Adagio sostenuto

Charles-Auguste de Bériot
(1802–1870)

36
p
43
f
50
57
ff
64

# (6) Doppelgriffe

Die folgenden Terzen und Sexten klingen rein, wenn sie genau zum Grundton der jeweiligen Tonart (bzw. zu dessen Quinte) passen.

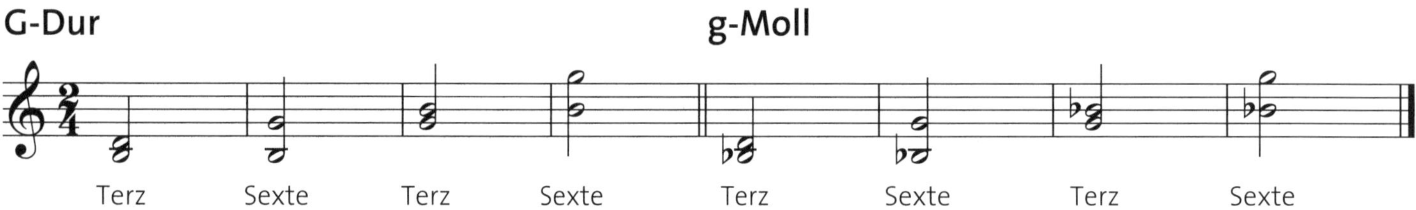


Der Grundton der Tonart G-Dur ist g, die Quinte von g ist d. Vergleiche zuerst jedes gegriffene g bzw. d mit der entsprechenden leeren Saite und spiele dann ein h so dazu, dass das Intervall ganz rein klingt. Das h muss etwas tiefer gegriffen werden als ein h in einer einstimmigen G-Dur-Melodie. Spielst du ein b zum g (Moll-Terz bzw. Moll-Sexte), so muss das b etwas höher gegriffen werden als in einer einstimmigen Melodielinie.

Terzen (und ihre komplementären Sexten) werden also im Zusammenklang ein wenig anders intoniert als in der Melodie: Die Dur-Terz, in unserem Beispiel oben g-h, wird etwas enger gespielt, die Moll-Terz g-b etwas weiter. Wenn der Doppelgriff ganz rein gespielt wird, entsteht ein wunderschöner voller Klang.

Hier G-Dur-Terzen und -Sexten in der 1. Lage:

Terzen und Sexten in der 3. Lage:

D-Dur-Terzen und -Sexten in der 1. Lage (Grundton d, Quinte a) ...

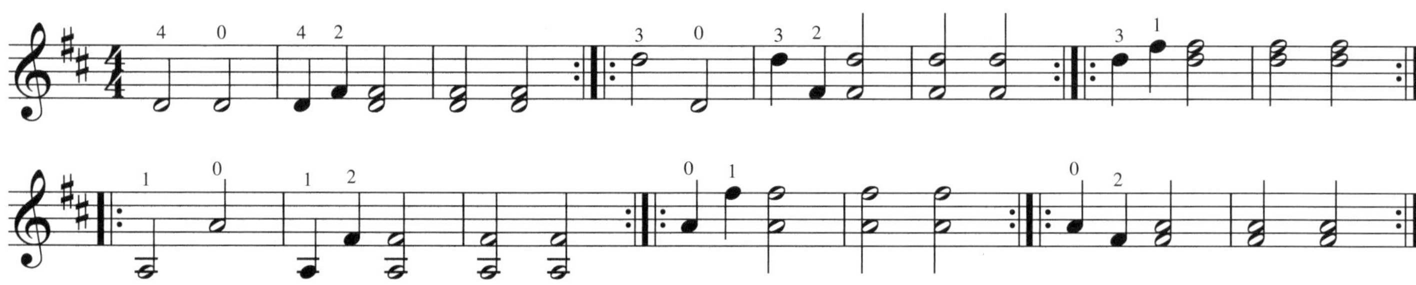

... und in der 3. Lage:

a-Moll-Terzen und -Sexten in der 1. Lage (Grundton a, Quinte e) ...

... und in der 3. Lage:

Spiele folgende Doppelgriffe in der 3. Lage auf jedem Saitenpaar.

# Giocoso

für Violine solo

MP3 51

A. Holzer-Rhomberg

# (7) Akkorde

## 1) Dreistimmige Akkorde

Spiele zuerst die untere und die mittlere Note zusammen, dann kippst du den Bogen auf die neue Saitenebene und spielst die mittlere und die obere Note zusammen. Spiele die unteren zwei Noten wie einen Vorschlag mit wenig Bogen und die oberen zwei Noten mit einem kleinen Akzent und viel Bogen.

... und jetzt in der 3. Lage:

## Moderato marcato

MP3 52

für Violine solo

A. Holzer-Rhomberg

## 2) Vierstimmige Akkorde

Spiele wieder zuerst die unteren zwei Noten zusammen, dann kippst du den Bogen auf die neue Saitenebene und spielst die oberen zwei Noten zusammen. Die unteren zwei Noten bekommen wieder wenig Bogen, die oberen zwei viel Bogen.

... und jetzt in der 3. Lage:

# Serenata

Thema mit Variationen für Violine solo

A. Holzer-Rhomberg

## Variation I

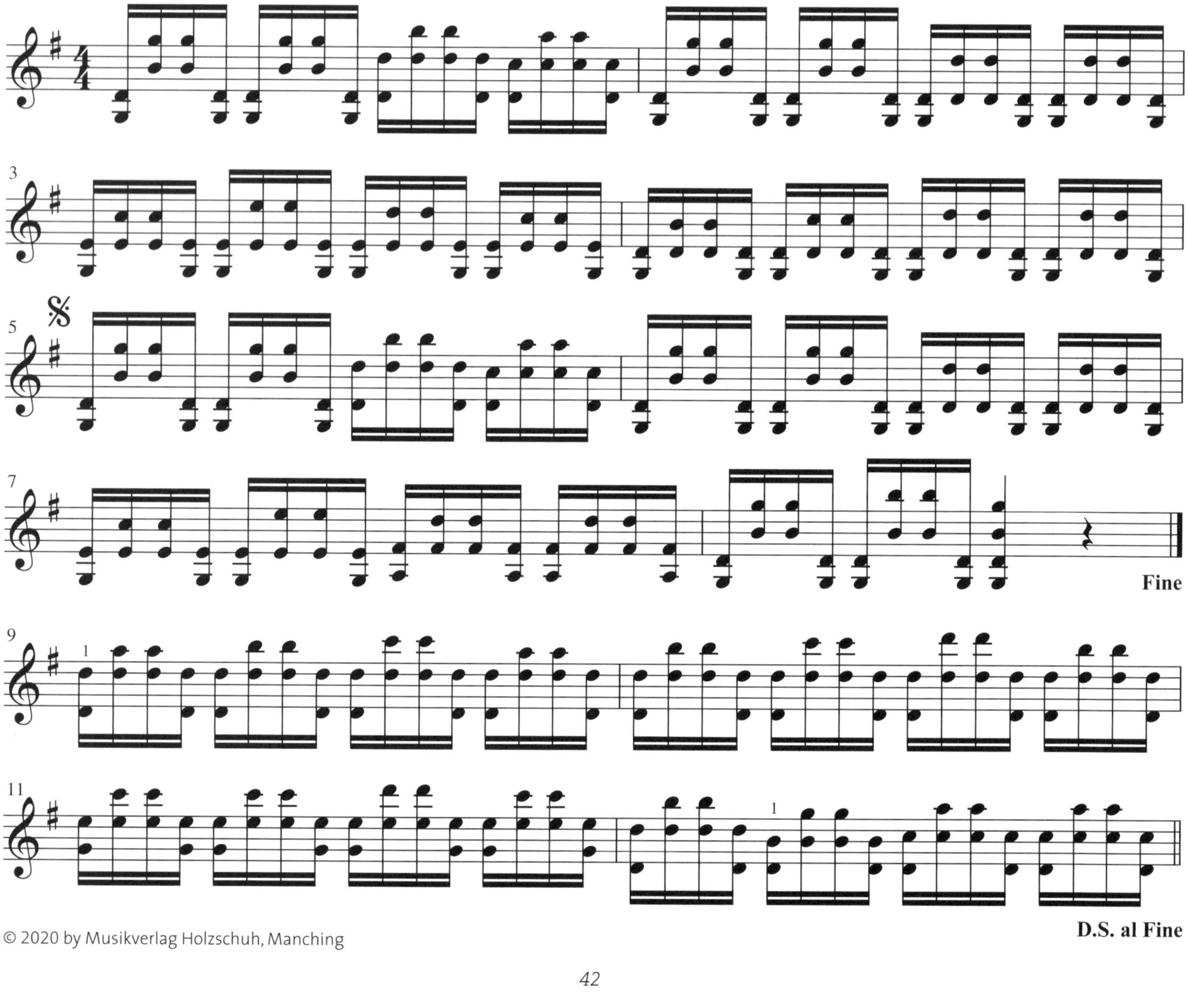

3

5

7

Fine

9

11

D.S. al Fine

## Variation II

# Intrada

MP3 54 | 55

A. Holzer-Rhomberg

# Marsch des geplagten Landmannes

*aus: Sechs Miniaturen*

MP3 56

*Karl-Heinz Höne*
*(1924–2008)*

# Polish Dance

MP3 57 | 58

Edmund Severn
(1862–1942)

**Allegro con spirito**

Fr.

*f*

*)

IV

*mf espr.*

*f*

*mf espr.*

*poco rubato*

*) Linke Hand pizzicato

arco
Tempo I
riten.
poco meno mosso
IV
rit.
mp doloroso
string.
cresc.
Allegro con fuoco
arco
sempre con fuoco

pizz.
IV
arco
ff con fuoco
meno mosso
mp
rit.
molto rit.
Tempo I
a tempo
rit.
f
Fr.
IV
mf espr.
f

193
mf espr.
poco rubato
200
mp espr.
207
mf espr.
214
pizz.
222
arco
f
riten.
Tempo I
229
f
235
con molto fuoco e stringendo
239
243
pressez
più presto

# (8) Die 5. Lage

Spiele b – f zuerst in der ersten Lage
und präge dir die Quinte gut ein.

A-Saite E-Saite

1 1

b f

Spiele jetzt das f in der 5. Lage
auf der A-Saite.

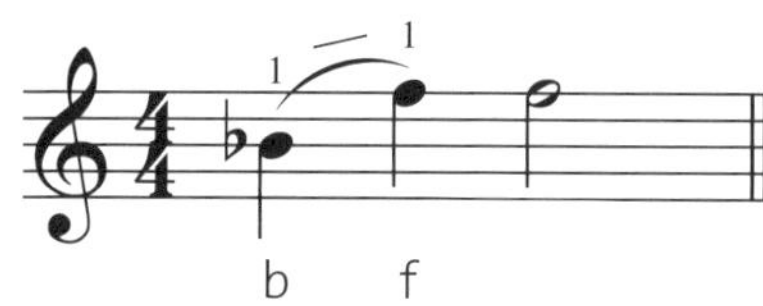


## Die verschiedenen Griffarten in der 5. Lage

Spiele diese verschiedenen Griffarten auch auf den anderen Saiten.
Bereite dich jeweils durch einen Lagenwechsel in die 5. Lage vor.

### E-Saite

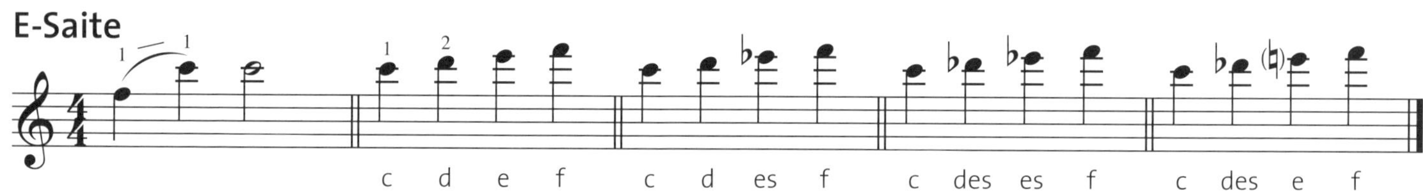


### D-Saite

### G-Saite

### F-Dur-Tonleiter und -Dreiklang über eine Oktave

(5. Lage)

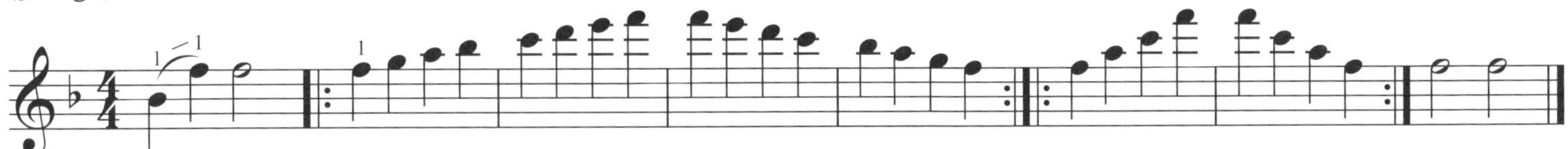

MP3 59 | 60

## Adagio

A. Holzer-Rhomberg

(5. Lage)

### f-Moll-Tonleitern (5. Lage)

natürlich

melodisch

harmonisch

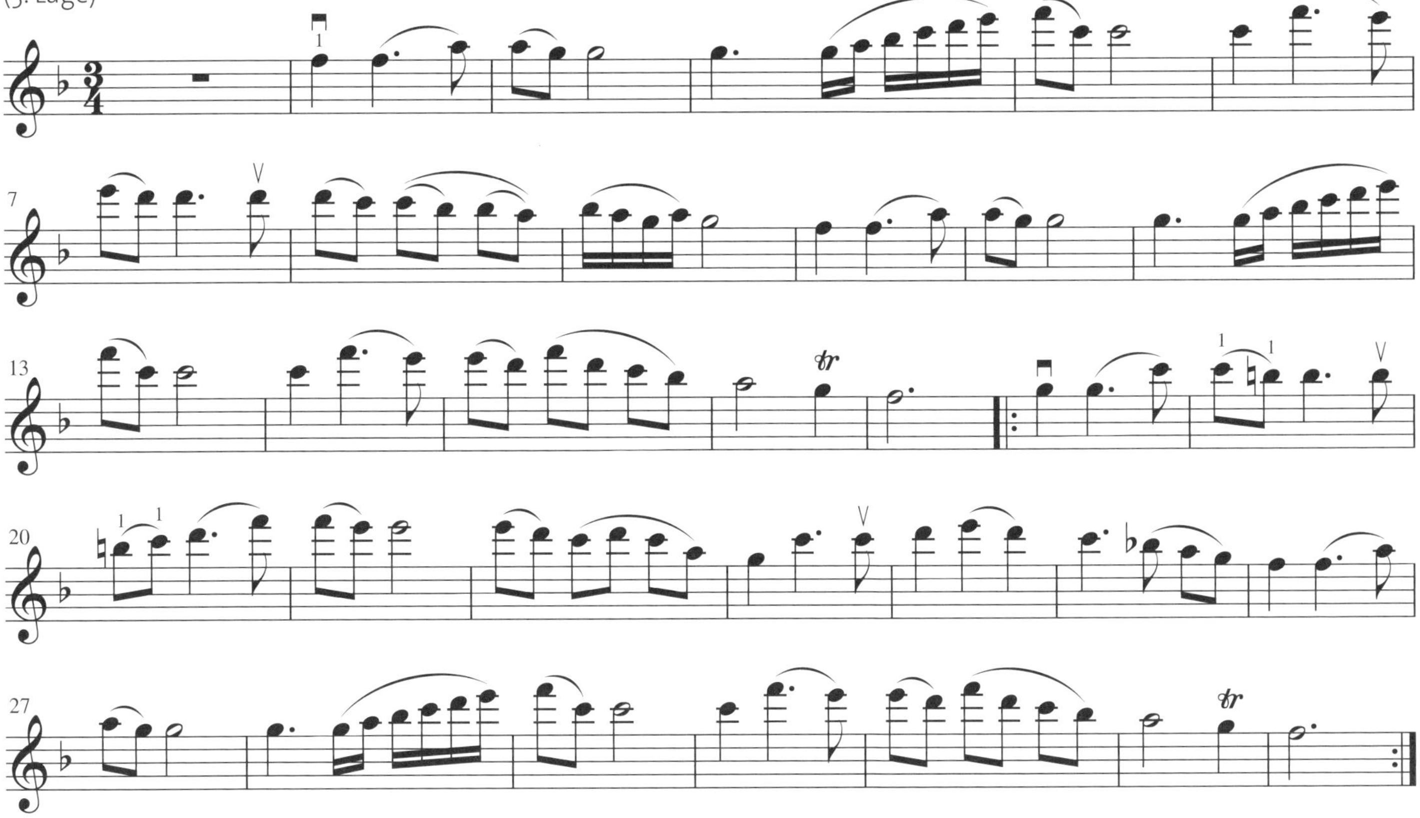

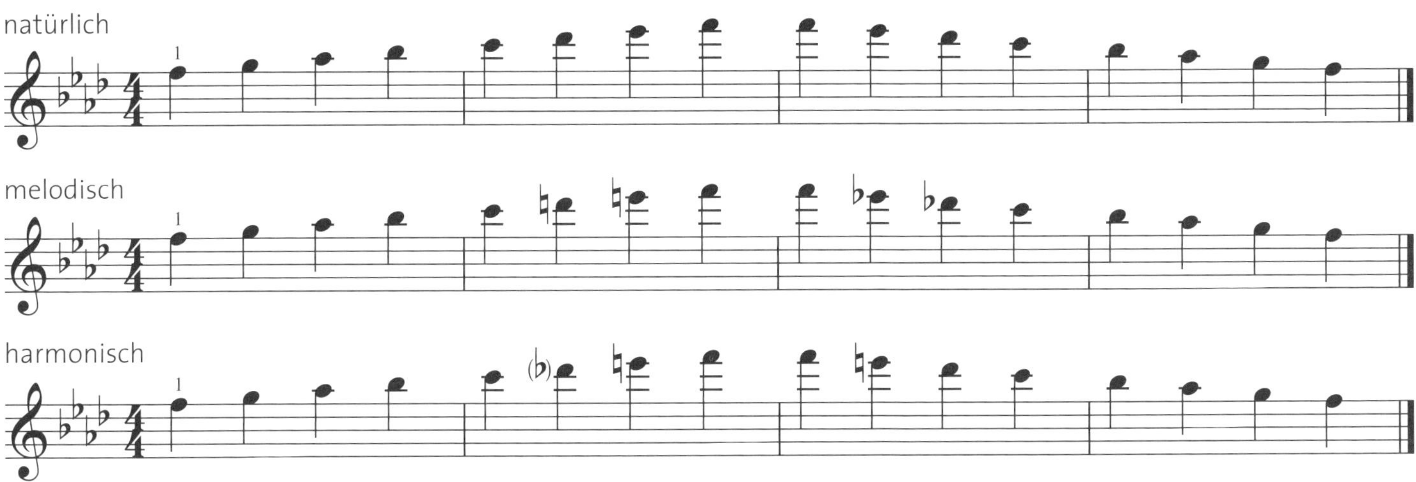

## Allegro energico

(5. Lage)

MP3 61 | 62

A. Holzer-Rhomberg

**B-Dur-Tonleiter und -Dreiklang über eine Oktave** (5. Lage)

# Ländler

MP3 63 | 64

(5. Lage)

*A. Holzer-Rhomberg*

### H-Dur-Tonleiter und -Dreiklang über eine Oktave (5. Lage)

## Jahrmarkt-Rummel

MP3 **65 | 66**

(5. Lage)

*A. Holzer-Rhomberg*

## h-Moll-Tonleitern (5. Lage)

**Es-Dur-Tonleiter und -Dreiklang über eine Oktave** (5. Lage)

## Fingerobics

MP3 **69 | 70**

(5. Lage)

*A. Holzer-Rhomberg*

**E-Dur-Tonleiter und -Dreiklang über eine Oktave** (5. Lage)

Spiele die „Fingerobics" jetzt einen Halbton höher in E-Dur.

## Fingerobics

MP3 **71 | 72**

(5. Lage)

*A. Holzer-Rhomberg*

## e-Moll-Tonleitern (5. Lage)

natürlich

melodisch

harmonisch

## Valse triste

MP3 73 | 74

(5. Lage)

*A. Holzer-Rhomberg*

8

14

21

28

# (9) Spiccato

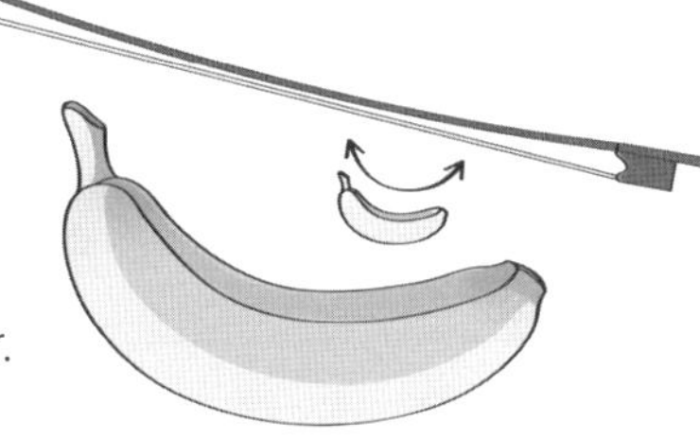

Erinnerst du dich an die ersten Spiccato-Übungen aus dem 2. Band?

Lass den Bogen ungefähr am Schwerpunkt auf die Saite „hüpfen" und wieder zurückfedern. Führe nun bei jedem „Hüpfer" einen kleinen „Bananenstrich" aus. Da jeder Ton einen eigenen „Hüpfimpuls" bekommt, ist diese Strichart nur bis zu einer gewissen Höchstgeschwindigkeit ausführbar.

Das Spiccato wird auch „Wurfbogenstrich" genannt.

Spiele jetzt den „Kreisel" im Spiccato.

## Der Kreisel

MP3 75

(5. Lage)

A. Holzer-Rhomberg

1

7

13

19

## F-Dur-Tonleiter und -Dreiklang über zwei Oktaven

(5. Lage)

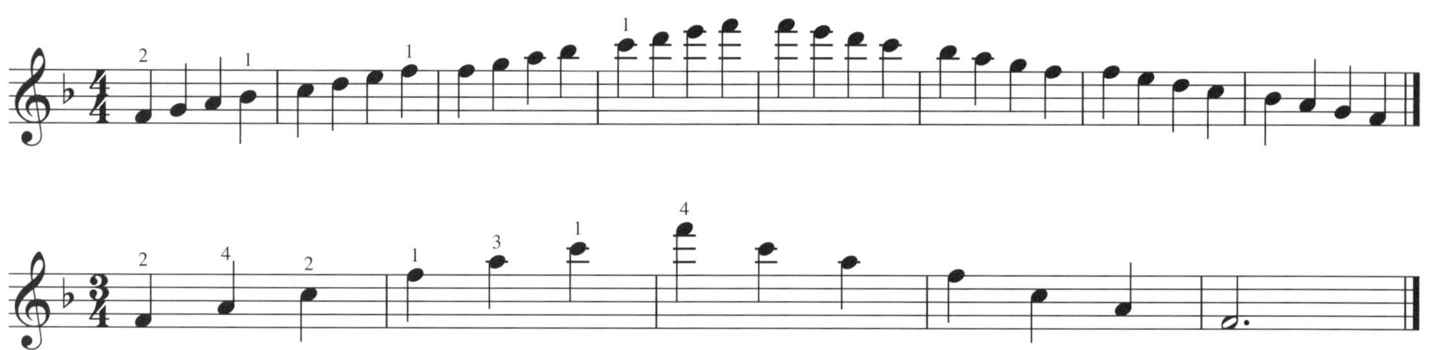


Spiele die F-Dur-Tonleiter jetzt im Spiccato mit Achtel-Triolen ...

(5. Lage)

dann mit 2 Achtelnoten ...

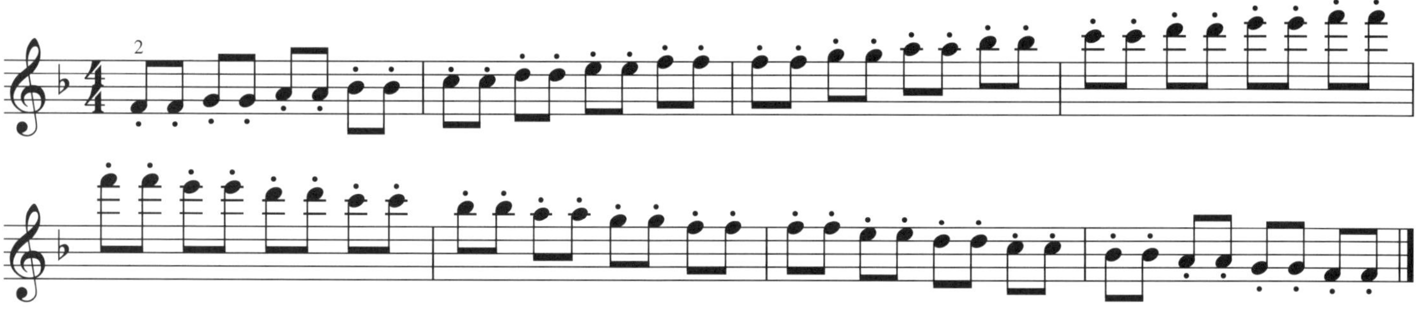


... und jetzt jeden Ton nur noch ein Mal:

## Schabernack-Polka

MP3 76 | 77

(5. Lage)

*A. Holzer-Rhomberg*

### E-Dur-Tonleiter und -Dreiklang über zwei Oktaven

(5. Lage)

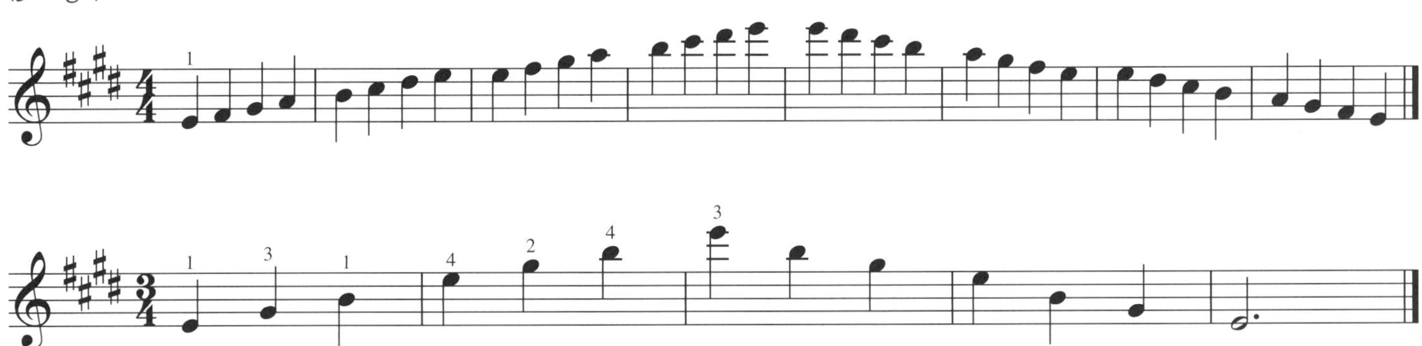

# Spiccato obligato

(5. Lage)

MP3 78 | 79

A. Holzer-Rhomberg

26
29
32
35
38
41
44
47
50

# (10) Ricochet

Bei dieser Strichart prallt der Bogen von der Saite ab, wie ein Gummiball vom Boden. Lässt man einen Gummiball auf den Boden fallen, so prallt dieser mehrmals hintereinander vom Boden ab.

Lässt man den Bogen aus geringer Höhe (ca. 2–3 cm) in der oberen Bogenhälfte auf die Saite fallen, dann prallt auch er mehrmals von der Saite ab. Ricochet lässt sich sowohl im Abstrich als auch im Aufstrich ausführen.

Beginne mit Abstrich-Ricochet: erst zwei Noten, dann drei, vier und immer mehr. Häng am Schluss jeder Ricochet-Gruppe einen Aufstrich dran. Wenn das gut funktioniert, übst du die folgenden Übungen auch im umgekehrten Strich.

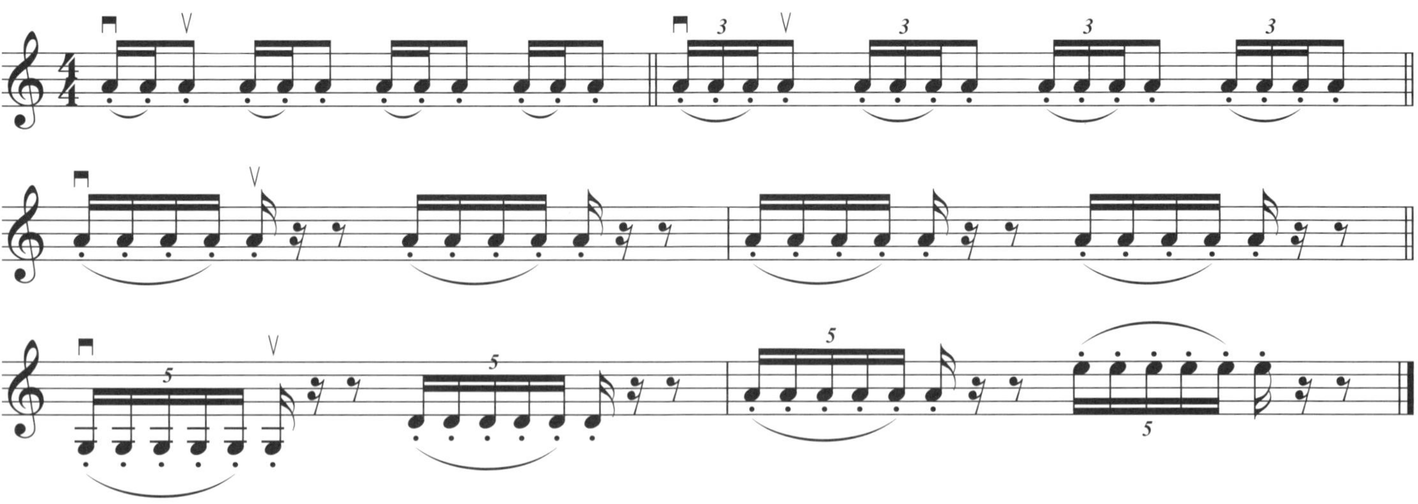

Jetzt kommt die linke Hand dazu:

Arpeggien über alle 4 Saiten beginnst du im Legato. Dann startest du den ersten Ton mit einem kleinen Druckimpuls, der den Bogen zum Springen bringt.

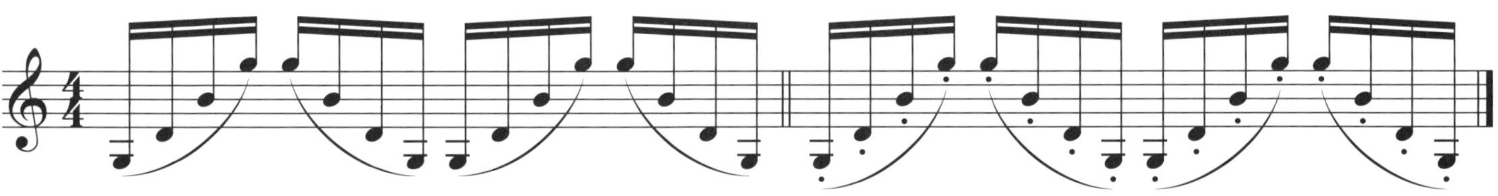

# Wiedersehen mit Julie

MP3 80|81

A. Holzer-Rhomberg

# (11) Lagenwechsel bis zur 5. Lage

Spiele folgende Intervalle (Sekunde, Terz, Quarte und Quinte) zuerst in der 1. Lage ...

... und jetzt ausschließlich mit dem ersten Finger.

Jetzt ist der 2. Finger dran ...

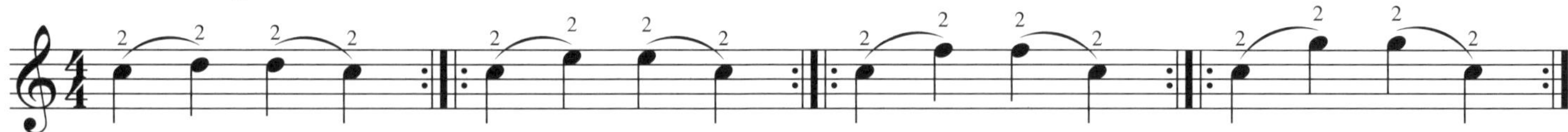

... und jetzt der 3. Finger ...

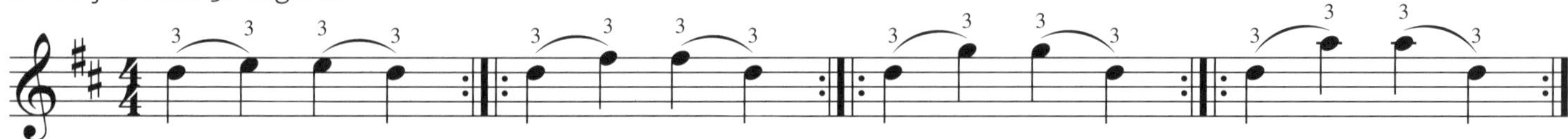

... und schließlich auch noch der 4. Finger!

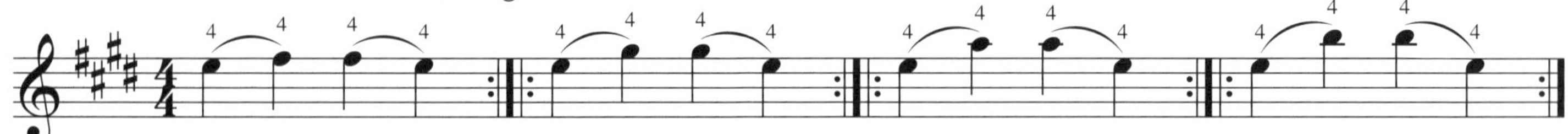

Spiele diese Lagenwechsel auch auf den anderen Saiten, wie hier z. B. auf der D-Saite.

Übe die oben stehenden Lagenwechsel auch mit verschiedenen Fingern. Hier eine Auswahl häufig vorkommender Lagenwechsel mit verschiedenen Fingern:

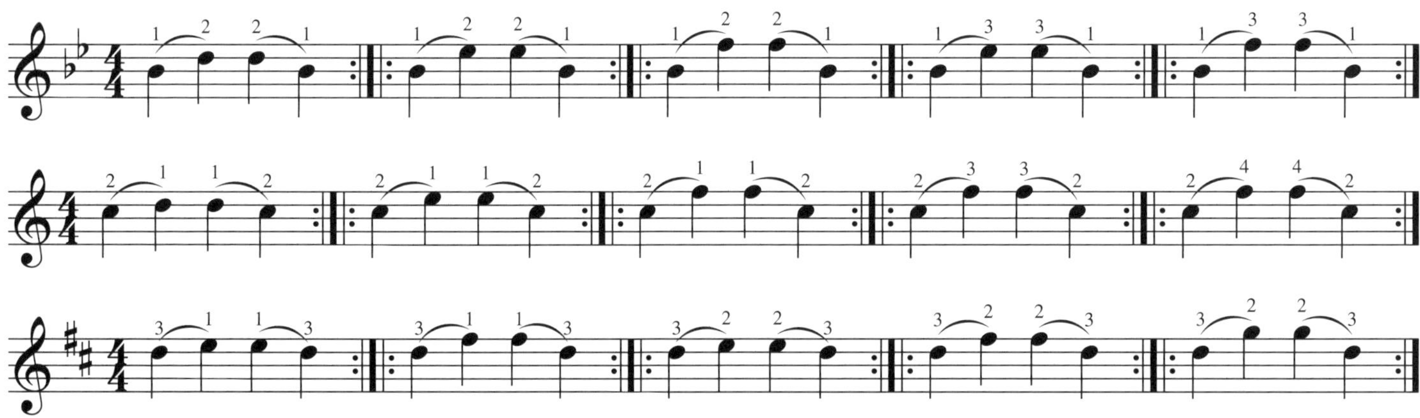

Spiele die Lagenwechsel jetzt auch in chromatischer Reihenfolge, d. h. in Halbtonschritten. Übe zuerst nur mit dem 1. Finger, später auch mit verschiedenen Fingern, z. B. 1–2, oder 1–3 usw.

Übe die folgenden Lagenwechsel zuerst ausschließlich mit dem 2. Finger, später dann mit verschiedenen Fingern.

Spiele die gleichen Lagenwechsel jetzt auch von der 2. Lage aus. Beginne in diesem Fall mit dem 1. Finger auf dem c. Übe auch hier zuerst ausschließlich mit dem 1. Finger, später dann mit verschiedenen Fingern.

Übe die folgenden Lagenwechsel zuerst ausschließlich mit dem 3. Finger, später dann mit verschiedenen Fingern. Spiele die gleichen Lagenwechsel auch von der 3. Lage aus. Beginne in diesem Fall mit dem 1. Finger auf dem d.

Übe die folgenden Lagenwechsel zuerst ausschließlich mit dem 4. Finger, später dann mit verschiedenen Fingern. Spiele die gleichen Lagenwechsel auch von der 4. Lage aus. Beginne in diesem Fall mit dem 1. Finger auf dem e.

Spiele die oben stehenden Intervall-Lagenwechsel auch auf den anderen Saiten.
Stell dir jedes Intervall genau vor, bevor du es spielst!

# (12) Musik aus mehreren Jahrhunderten

## Presto

MP3 82

*aus: Sonaten und Partiten für Violine solo, Partita in g-Moll*

*Johann Sebastian Bach*
*(1685–1750)*

**Presto**

# Sonata in C-Dur

1. Satz KV 296

MP3 83 | 84

*Wolfgang Amadeus Mozart*
*(1756–1791)*

52
tr
tr
tr
tr
56
(p)
f
61
f
65
69
2
75
79
tr
tr
tr
tr
83
tr
tr
tr
87
91
96
f
2
2

104
tr
tr
tr
109
tr
115
121
tr
125
tr
p
129
133
tr
tr
tr
tr
137
tr
tr
142
tr
tr
p
f
146
f
150

# Premier Solo

*aus: 3 Concert Solos, op. 77*

MP3 85|86

Charles Dancla
(1817–1907)

cantante
molto espressivo
con eleganza
cresc.
risoluto
largement

dolce
f du talon
p
cresc.
f risoluto

# Ungarischer Tanz

MP3 87 | 88

Johannes Brahms
(1833–1897)

poco rit.
p
a tempo
poco rit.
a tempo
poco rit.
a tempo
poco rit.
a tempo
Allegro
f
p legg.
sf
f
sf
sf
poco rit.
p
a tempo
sf
f
ff

## Allegro marziale

aus: Sonatine G-Dur

MP3 89 | 90

Jiři Laburda
(*1931)

72
mf
f
78
84
7
mp
97
104
111
Stretto
ff
116
121
126
fff

# Titelverzeichnis